DOMOWE SPA

Wstęp 5

Wstęp

W dzisiejszych burzliwych, szybko zmieniających się czasach często czujemy się zestresowani, przemęczeni i przytłoczeni rzeczywistością. Doskonałym remedium na wszystkie te problemy jest znana od wieków sztuka spa (skrót ten oznacza „zdrowie przez wodę"), która pierwotnie obejmowała zabiegi pielęgnacyjne i relaksacyjne wykorzystujące działanie wody. Obecnie termin ten stosuje się najczęściej w odniesieniu do pielęgnacji przy użyciu substancji naturalnych (ziół, olejków eterycznych, owoców, mleka, miodu itp.), kładącej nacisk na równowagę ciała i umysłu.

W niniejszej książce zamieszczamy wiele wskazówek na temat pielęgnacji oraz przepisów na preparaty upiększające – w większości przypadków składniki do ich przyrządzenia bez problemu da się znaleźć w domu: w szafkach kuchennych, apteczce, ogródku i lodówce. Najlepsze efekty przyniesie regularne ich stosowanie, dlatego warto włączyć je do codziennej pielęgnacji, a od czasu do czasu zafundować sobie „dzień spa", który w całości poświęcimy na niespieszny relaks, wyciszenie umysłu i dopieszczenie ciała. Jego plan może wyglądać następująco:

PRZYGOTOWANIE

Nie ograniczaj się do kwestii kosmetycznych, zadbaj także o elementy relaksacji, ćwiczenia fizyczne i zdrową dietę. Zgromadź zawczasu wszystkie potrzebne składniki, uprzątnij łazienkę, ustawiając w niej świece zapachowe (lepiej unikać kadzidełek, których dym szybko zaczyna działać drażniąco), przygotuj czyste ręczniki. Na co dzień otacza nas zazwyczaj mnóstwo ludzi, dlatego warto ten dzień spędzić w samotności, wyłączając telefon, telewizor i komputer.

ŚNIADANIE

Przygotuj sobie lekkie śniadanie, na przykład sałatkę owocową lub ulubione płatki. Nie jedz w kuchni – jeśli możesz, usiądź na balkonie lub w ogrodzie, albo... wróć do łóżka.

PORANNY ROZRUCH

Zafunduj sobie półgodzinną sesję jogi lub wykonaj kilka ćwiczeń rozciągających i oddechowych. Nie chodzi o to by się zmęczyć – w końcu jesteś w spa, nie na siłowni.

ORZEŹWIAJĄCY PRYSZNIC

Po ćwiczeniach pora na prysznic – najlepiej naprzemienny ciepły i zimny, doskonale ujędrniający skórę i wspomagający walkę z cellulitem.

MASECZKA NA TWARZ

Wybierz jeden z przepisów podanych w książce w zależności od swojego rodzaju cery.

PEDICURE

Stopy to bardzo ważna, a często zaniedbywana część naszego ciała. Zafunduj im odprężającą kąpiel, peeling i odżywczą maskę.

6 POPOŁUDNIOWA PRZEKĄSKA
Czas na zasłużony posiłek – najlepiej lekką sałatkę z grillowanym kurczakiem i warzywami.

7 DRZEMKA
Przed kolejną porcją zabiegów nie zawadzi położyć się na pół godziny – w miarę możliwości – na świeżym powietrzu.

8 MANICURE
Wypielęgnowane dłonie to wizytówka każdej zadbanej kobiety. W tym dniu potraktuj je wyjątkowo – zacznij od peelingu i kąpieli, następnie zrób kompres lub maskę. Na koniec pomaluj paznokcie ulubionym lakierem.

9 KĄPIEL
Skorzystaj z naszych przepisów na kąpiele odżywcze i spędź w wannie kilka błogich chwil z ulubioną książką lub czasopismem.

10 WIECZORNY SPACER
Piękna i zrelaksowana wybierz się na energiczną półgodzinną przechadzkę na zakończenie dnia.

Pielęgnacja twarzy

Cera normalna

Znaczna większość osób może się cieszyć cerą normalną tylko w dzieciństwie. W okresie dojrzewania w wyniku zmian hormonalnych dominuje cera tłusta, a w okresie dorosłości – sucha lub mieszana.

Cera normalna – gładka, zdrowa bez zmian i przebarwień – sprawia najmniej kłopotów w pielęgnacji, co nie znaczy, że należy ją zaniedbywać! Przeciwnie, jej szczęśliwi posiadacze powinni tym troskliwiej dbać o ten rzadki dar.

Do oczyszczania najlepiej stosować żele nawilżająco-łagodzące, a następnie przemywać twarz tonikiem i wklepać odpowiedni krem. Wnikanie składników odżywczych ułatwi peeling złuszczający martwe komórki naskórka.

DOMOWE MASECZKI I PEELINGI DO CERY NORMALNEJ

Odżywcza maseczka jogurtowa

- 1 łyżka jogurtu naturalnego
- 1 łyżka zmielonych płatków owsianych
- ½ łyżeczki miodu

Wszystkie składniki wymieszać na papkę. Nałożyć na twarz, po 15 minutach spłukać ciepłą wodą.

OGÓLNE ZASADY STOSOWANIA MASECZEK

- maseczki najlepiej nakładać późnym południem, gdy skóra najbardziej intensywnie wchłania składniki odżywcze – idealnym momentem jest czas kąpieli, gdy pory są rozszerzone, a my jesteśmy zrelaksowane
- przed nałożeniem maseczki skórę trzeba dokładnie oczyścić, warto też zrobić delikatny peeling, aby usunąć martwe komórki naskórka, co ułatwi wchłanianie dobroczynnych substancji
- niewchłonięty nadmiar maseczki należy zmyć ciepłą (nie gorącą!) wodą, a następnie przemyć skórę tonikiem

Rozświetlająca maseczka dyniowa

- ½ filiżanki ugotowanego miąższu dyni
- 1 jajko
- 2 łyżki mleczka migdałowego (do kupienia w sklepach z ekologicznymi kosmetykami oraz w internecie)
- 1 łyżka miodu

Miąższ dyni rozgnieść widelcem na gładką papkę, połączyć z pozostałymi składnikami. Nałożyć na twarz, po 15 minutach spłukać ciepłą wodą.

Wybielająca maseczka ogórkowa

- 1 ogórek
- 1 łyżka miodu

Ogórek zetrzeć na grubej tarce, połączyć z miodem. Nałożyć na twarz, po 15 minutach spłukać ciepłą wodą.

. . .

Odżywczy peeling orzechowy

- 2 łyżki drobno posiekanych orzechów włoskich
- 1 łyżeczka mąki
- 1 łyżka mleka

Wszystkie składniki wymieszać na papkę. Nałożyć na twarz, masować trzy minuty okrężnymi ruchami, omijając okolice oczu i ust. Spłukać letnią wodą.

. . .

> **OGÓLNE ZASADY STOSOWANIA PEELINGÓW NA TWARZ**
>
> - peelingu nie należy używać zbyt często (najwyżej raz w tygodniu), a w przypadku cery szczególnie wrażliwej najlepiej w ogóle zrezygnować z peelingów mechanicznych (z drobinkami ścierającymi)
> - bezpośrednio po peelingu nie należy wychodzić na mroźne powietrze (zimą najlepiej stosować je na noc)
> - domowy peeling można też sporządzić z ulubionego kremu, mieszając go z drobno posiekanymi migdałami i/lub orzechami

Cera tłusta i trądzikowa

O cerze tłustej mówimy w przypadku, gdy gruczoły łojowe działają zbyt intensywnie. Ma ona tendencję do błyszczenia, rozszerzonych porów i powstawania pryszczy, co bywa uciążliwe, ale jest i dobra wiadomość: przy takim typie skóry wolniej ujawniają się oznaki starzenia, takie jak zmarszczki i przebarwienia.

Najważniejszym elementem pielęgnacji cery tłustej jest dokładne oczyszczanie rano i wieczorem. Należy w tym celu używać specjalnego żelu myjącego do twarzy, ponieważ zwykłe mydła podrażniają skórę, zwiększając wydzielanie łoju (sebum). Taki sam efekt przynosi szorowanie ręcznikiem lub gąbką, dlatego twarz najlepiej myć i spłukiwać dłońmi. Jeśli zwykły żel myjący nie przyniesie oczekiwanych rezultatów, warto sięgnąć po produkty z kwasami (np. bornym lub salicylowym), często określane jako przeznaczone do cery trądzikowej. Kwasy pomagają ograniczyć wydzielanie sebum, przez co skóra mniej się błyszczy, a pory się zwężają. Ponieważ tego rodzaju kosmetyki zawierają więcej substancji aktywnych, trzeba wcześniej sprawdzić reakcję skóry, stosując je początkowo ma małym obszarze i obserwując ewentualne zmiany. Jeśli nie pojawi się zaczerwienienie lub wysypka, możemy zacząć używać ich regularnie. I jeszcze jedna ważna informacja – twarz zawsze myjemy letnią wodą, ponieważ zarówno gorąca, jak i zimna niepotrzebnie podrażniają skórę. Nieodzownym elementem pielęgnacji cery tłustej i trądzikowej są peelingi, przyczyniające się do złuszczenia martwych komórek naskórka.

Dopełnieniem oczyszczania tłustej cery jest przemycie twarzy tonikiem, co przywraca skórze naturalny odczyn pH. Podobnie jak żele myjące często zawierają one kwasy. Ponieważ toniki działają silnie wysuszająco, warto sprawdzić, jak nasza skóra na nie reaguje. Może się bowiem okazać, że będą miały przeciwne działanie i tylko zachęcą organizm do bardziej intensywnej produkcji łoju. Nawet jeśli nasza cera dobrze reaguje na toniki, najlepiej ograniczyć ich stosowanie do obszarów, gdzie łojotok sprawia największe problemy, to znaczy czoła, nosa i brody. Na koniec nakładamy krem do cery tłustej – na noc odżywczy, na dzień matujący.

Dodatkową „atrakcją" cery tłustej jest tworzenie się wągrów i wyprysków. Powstają one wówczas, gdy w wyniku nieprawidłowej pracy gruczołów łojowych sebum nie jest wydzielane na zewnątrz, ale gromadzi się pod skórą, w powiększonym gruczole. Gdy gruczoł pęka, w okolicznych tkankach dochodzi do stanu zapalnego, którego efektem jest pryszcz. Podstawowa zasada pielęgnacji cery trądzikowej to... pozostawienie zmian w spokoju. Mocne wycieranie, drapanie lub wyciskanie pryszczy tylko nasili dolegliwości. Warto ograniczyć ilość kosmetyków i powstrzymać pokusę częstych zmian, stosując tylko sprawdzone preparaty. Poszczególne wypryski najlepiej smarować specjalnymi kosmetykami punktowymi lub wysuszać i dezynfekować odrobiną spirytusu salicylowego. W przypadku szczególnie nasilonego trądziku trzeba wybrać się do dermatologa.

Nieodzownym elementem pielęgnacji skóry tłustej są ziołowe parówki, które doskonale odświeżają i odprężają, a ponadto zmniejszają wydzielanie sebum, a tym samym nieestetyczne świecenie się skóry. Przed wykonaniem parówki dokładnie oczyszczamy twarz peelingiem. Następnie zagotowujemy wodę, dodajemy zioła i przelewamy napar do dużej miski. Nachylamy twarz nad miską, utrzymując odległość około 30 cm, i przykrywamy głowę ręcznikiem (oczy i usta powinny być zamknięte, aby zapobiec podrażnieniom). Zabieg powinien trwać od 15 do 20 minut, krócej w przypadku wrażliwej skóry. Po parówce przemywamy twarz letnią, a następnie zimną wodą.

Do parówki poza ziołami możemy dodawać także plasterki cytryny, zieloną herbatę, płatki róży itp.

- Igły sosnowe – działają oczyszczająco
- Kwiat lipy – nawilża
- Koniczyna – poprawia koloryt skóry, odpręża
- Łubin – zmniejsza wydzielanie sebum
- Mięta i melisa – działają bakteriobójczo
- Nagietek – łagodzi podrażnienia, działa przeciwzapalnie
- Prawoślaz – łagodzi podrażnienia, nawilża
- Rozmaryn – wspomaga głębokie oczyszczanie
- Rumianek – łagodzi podrażnienia, działa przeciwzapalnie, przyspiesza gojenie
- Skrzyp – działa wzmacniająco i odmładzająco
- Szałwia – działa przeciwzapalnie i ściągająco
- Tymianek – zmniejsza wydzielanie sebum

DOMOWE MASECZKI I PEELINGI DO CERY TŁUSTEJ I TRĄDZIKOWEJ

Odżywcza maseczka bananowa

- 1 bardzo dojrzały banan
- 1 łyżka miodu
- pomarańcza lub cytryna

Banan rozgnieść widelcem na gładką masę, wymieszać z miodem, dodać kilka kropli soku z cytryny lub pomarańczy. Nałożyć na twarz, po 15 minutach spłukać ciepłą wodą.

. . .

Oczyszczająca maseczka truskawkowo-cytrynowa

- 1 łyżka soku z cytryny
- 2 białka jajek
- 3 łyżki miodu
- 1 filiżanka truskawek

Wszystkie składniki zmiksować. Nałożyć na twarz, po 10 minut spłukać ciepłą wodą.

. . .

Przeciwtrądzikowa maseczka z zielonej glinki

- 1 łyżka zielonej glinki (do kupienia w sklepach z ekologicznymi kosmetykami oraz w internecie)
- 1 łyżka oleju z pestek moreli

Wymieszać glinkę z olejem, dodając odrobinę ciepłej wody, tak aby otrzymać pastę. Nałożyć na twarz na 10 minut.

. . .

Przeciwłojotokowa maseczka drożdżowa

- ¼ kostki drożdży prasowanych
- 4 łyżki mleka
- ½ cytryny

Mleko lekko podgrzać, rozprowadzić drożdże. Dodać sok z cytryny, wymieszać na gładką papkę. Nałożyć na twarz, po 10 minut spłukać ciepłą wodą.

. . .

Wygładzający peeling owsiany

- 2 łyżki płatków owsianych
- 1 łyżka soku z cytryny
- 1 łyżka miodu

Wszystkie składniki wymieszać na papkę. Nałożyć na twarz, masować trzy minuty okrężnymi ruchami, omijając okolice oczu i ust. Spłukać letnią wodą.

. . .

Cera sucha

Cera sucha sprawia wiele problemów – bywa czerwona, podrażniona, swędzi i... brzydko wygląda. Niekiedy jest uciążliwym spadkiem po przodkach, a czasami pojawia się z wiekiem wraz ze zmniejszeniem się produkcji łoju przez organizm. Często daje się we znaki zimą, gdy na zewnątrz panuje mróz, a powietrze w pomieszczeniach jest wysuszone z powodu centralnego ogrzewania. Fatalna perspektywa w okresie sylwestrowo-karnawałowych przyjęć, imprez i potańcówek!

Ale głowa do góry – ponieważ większość dolegliwości związanych z suchą skórą ma związek z warunkami otoczenia, łatwo z nimi walczyć z zewnątrz, przy użyciu kosmetyków i domowych sposobów. Pierwszą rzeczą, którą warto wdrożyć do codziennej pielęgnacji, jest rezygnacja z długich gorących kąpieli, które skutecznie pozbawiają skórę płaszcza ochronnego, przyczyniając się do zwiększenia podrażnień. Najlepiej ograniczyć się do maksymalnie dziesięciominutowego ciepłego prysznica dziennie. Mydła chowamy głęboko na dno szuflady, a zamiast nich stosujemy specjalny żel myjący do skóry suchej. Następnie przemywamy twarz tonikiem (chyba że stwierdzimy, że przyczynia się do dalszego wysuszenia skóry) oraz nakładamy odpowiedni krem odżywczo-nawilżający. Do sprawdzonych składników przyczyniających się do zatrzymywania wilgoci w skórze należą ceramidy, gliceryna, kwas hialuronowy i lanolina – warto o tym pamiętać, czytając etykiety produktów. Ważnym elementem pielęgnacji skóry suchej są peelingi, które jednak należy stosować delikatnie, aby uniknąć podrażnień. Po wykonaniu peelingu skórę dokładnie smarujemy kremem.

Wieczorne i poranne aplikowanie kremu warto zamienić w minirytuał kosmetyczny połączony z masażem twarzy. Zaczynamy od dekoltu, prowadząc dłonie do góry w stronę szyi. Na czoło krem nakładamy ruchami na zewnątrz i do góry, zwracając szczególną uwagę na miejsce między brwiami, aby rozluźnić napięte mimiką mięśnie. Następnie masujemy policzki, okolicę ust i nasadę nosa. Kremy i żele pod oczy delikatnie wklepujemy – pod oczami od zewnętrznego kącika ku wewnętrznemu, a na górnej powiece odwrotnie.

DOMOWE MASECZKI DO CERY SUCHEJ

Odżywcza maseczka mleczna

- 1 łyżka mleka w proszku
- 1 łyżka płynnego miodu
- 1 łyżka żelu aloesowego (do kupienia w sklepach z ekologicznymi kosmetykami oraz w internecie)

Składniki wymieszać na gładką pastę. Nałożyć na twarz, po 15 minutach spłukać ciepłą wodą.

· · ·

Wygładzający peeling owsiano-jogurtowy

- 1 łyżka zmielonych płatków owsianych
- 1 łyżeczka jogurtu naturalnego
- 1 łyżeczka oliwy

Wszystkie składniki wymieszać na papkę. Nałożyć na twarz, masować trzy minuty okrężnymi ruchami, omijając okolice oczu i ust. Spłukać letnią wodą.

· · ·

Regenerująca maseczka migdałowa

- 2 łyżeczki oleju migdałowego
- 2 łyżeczki mąki
- ¼ łyżeczki soli

Wszystkie składniki wymieszać. Nałożyć na twarz na 10 minut.

· · ·

Nawilżająca maseczka z awokado

- ½ dojrzałego awokado
- 1 łyżka jogurtu
- ¼ filiżanki miodu

Awokado rozgnieść na gładką masę, wymieszać z miodem i jogurtem. Nałożyć na twarz, po 15 minutach spłukać ciepłą wodą.

· · ·

Cera mieszana

Większość kobiet ma cerę mieszaną, przez co boryka się z dolegliwościami charakterystycznymi zarówno dla cery tłustej, jak i suchej: błyszczącym czołem, nosem i brodą (tzw. strefa T) oraz podrażnionymi, zaczerwienionymi plamami na policzkach.

Wiele posiadaczek tego rodzaju skóry popełnia błąd, stosując zasady pielęgnacji skóry tłustej, co nasila dolegliwości związane z wysuszeniem pozostałych partii twarzy. Skórę mieszaną należy pielęgnować troskliwie i łagodnie. Do oczyszczania najlepiej sprawdzą się żele myjące regulujące wydzielanie sebum i działające nawilżająco. Następnie przemywamy twarz sprawdzonym tonikiem (nawilżająco-łagodzącym) i nakładamy krem – na noc odżywczy, na dzień matujący. Wnikanie składników odżywczych ułatwi peeling, który najlepiej wykonywać raz w tygodniu.

DOMOWE MASECZKI I PEELINGI DO CERY MIESZANEJ

Odżywcza maseczka malinowa

- 1 filiżanka malin
- 1 łyżeczka miodu
- 1 łyżeczka słodkiej śmietanki

Maliny rozgnieść widelcem na miazgę, wymieszać z miodem i śmietanką. Nałożyć na twarz, po 15 minutach spłukać ciepłą wodą.

Łagodząca maseczka z siemienia

- 2 łyżki zmielonego siemienia lnianego
- 1 łyżeczka oliwy

Siemię zalać wrzątkiem, wymieszać, odstawić do ostygnięcia, wymieszać z oliwą. Nałożyć na twarz, po 15 minutach spłukać ciepłą wodą.

. . .

Regenerujący peeling mleczno-miodowy

- 1 łyżka mielonych migdałów
- 1 łyżeczka mleka 2%
- 1 łyżeczka miodu

Wszystkie składniki wymieszać na papkę. Nałożyć na twarz, masować trzy minuty okrężnymi ruchami, omijając okolice oczu i ust. Spłukać letnią wodą.

. . .

Kojąca maseczka śmietankowa

- 2 łyżki śmietany
- 1 łyżka miodu
- 1 łyżka otrąb pszennych

Wszystkie składniki wymieszać na gęstą papkę. Nałożyć na twarz, po 15 minutach spłukać ciepłą wodą.

. . .

Cera naczynkowa

Cera naczynkowa daje się we znaki pajączkami, intensywnym rumieńcami i częstym podrażnieniem. Dolegliwości nasilają się pod wpływem czynników atmosferycznych – wiatru, mrozu, słońca i wahań temperatury.

Należy ją pielęgnować szczególnie delikatnie, unikając silnie działających preparatów mogących pogłębiać podrażnienia. Wybierając kosmetyki, najlepiej postawić na produkty łagodzące oraz przeznaczone specjalnie do cery naczynkowej zawierające substancje wzmacniające naczynia krwionośne, takie jak rutyna oraz wyciągi z arniki górskiej lub miłorzębu japońskiego. Niezbędna jest także ochrona skóry przez szkodliwym oddziaływaniem czynników pogodowych, przede wszystkim przez stosowanie filtrów przeciwsłonecznych. Cera naczynkowa niezbyt dobrze reaguje na peelingi mechaniczne (ze złuszczającymi drobinkami), dlatego lepiej z nich zrezygnować na rzecz peelingów enzymatycznych (chemicznych).

Delikatna maseczka twarożkowa

- 1 łyżka twarogu
- 1 łyżka tłustej śmietany

Składniki wymieszać na papkę. Nałożyć na twarz, po 15 minutach spłukać ciepłą wodą.

Łagodząca maseczka rumiankowa

- 1 łyżka suszu rumiankowego
- 1 łyżka zmielonego siemienia lnianego
- 1 łyżeczka oliwy

Susz rumiankowy połączyć z siemieniem, zalać wrzątkiem, odstawić do ostygnięcia. Odcedzić, wymieszać z oliwą. Nałożyć na twarz, po 15 minutach spłukać ciepłą wodą.

DOMOWE MASECZKI DO CERY NACZYNKOWEJ

| Orzeźwiająca
  maseczka miętowa

- 2 łyżki zmielonego siemienia lnianego
- 2 łyżki mięty

Siemię zalać wrzątkiem, odstawić do ostygnięcia. Miętę zaparzyć, po 20 minutach odcedzić. Wymieszać siemię z miętą, jeszcze ciepłą papkę nałożyć na twarz. Po 15 minutach spłukać ciepłą wodą.

. . .

Cera alergiczna i wrażliwa

Obecnie coraz więcej osób boryka się z problemami związanymi z podrażnieniami skóry. Niekiedy wynikają one z czynników zewnętrznych, na przykład zanieczyszczenia środowiska, czasami mają podłoże genetyczne. Zdarza się, że powodem nieprzyjemnych reakcji bywa... przesadna pielęgnacja, prowadząca do zniszczenia naturalnej bariery ochronnej skóry.

Cera alergiczna i wrażliwa, podobnie jak naczynkowa, wymaga szczególnej troski. Pierwszym krokiem powinna być rezygnacja z pięknie pachnących kosmetyków dostępnych w drogeriach, powodujących zaczerwienienie, swędzenie i podrażnienia. Na szczęście na rynku dostępnych jest obecnie mnóstwo preparatów dla skóry wrażliwej. Szczególnie warto zainteresować się specjalistycznymi produktami aptecznymi, często produkowanymi na bazie wody termalnej i przeznaczonych specjalnie dla alergików. Nie zawierają one drażniących składników, przede wszystkim zapachowych. Gdy znajdziemy preparat, który nam odpowiada, najlepiej dochować mu wierności, dokupując stopniowo inne produkty z serii. W przypadku cery szczególnie wrażliwej najlepiej unikać nadmiernej liczby kosmetyków, ograniczając się do podstawowych – żelu myjącego, kremu, preparatu przeciwsłonecznego z filtrem mechanicznym. Celem domowej pielęgnacji i stosowanych maseczek jest łagodzenie podrażnień oraz zmniejszanie zaczerwienienia i nieprzyjemnego odczucia szorstkości.

DOMOWE MASECZKI DO SKÓRY WRAŻLIWEJ I ALERGICZNEJ

Kojąca maseczka bananowo--śmietankowa

- 1 bardzo dojrzały banan
- 2 łyżki twarożku homogenizowanego lub gęstej śmietany.

Banan rozgnieść widelcem na gęstą papkę, wymieszać z twarożkiem lub śmietaną. Nałożyć na twarz, po 15 minutach spłukać ciepłą wodą.

• • •

Łagodząco-odżywczy okład z oliwy

- 2 łyżki oliwy

Ciepłą oliwą nasączyć podkład z ligniny z wyciętymi otworami na oczy i usta. Ułożyć na twarzy, pozostawić na 15 minut.

• • •

Regenerująca maseczka żółtkowa

- 1 żółtko
- 1 łyżeczka miodu

Żółtko rozgnieść widelcem, połączyć z miodem, wymieszać na gęstą papkę. Nałożyć na twarz, po 15 minutach spłukać ciepłą wodą.

• • •

Cera dojrzała

Gładka, pozbawiona zmarszczek skóra to marzenie każdej kobiety. Efektów starzenia nie da się wprawdzie uniknąć, ale istnieją sposoby na oszukanie upływającego czasu. Proces ten przebiega w sposób bardzo indywidualny, zależnie od czynników genetycznych, hormonalnych i środowiskowych.

Pierwsze oznaki starzenia pojawiają się zazwyczaj między trzydziestymi a czterdziestymi urodzinami. Skóra staje się cieńsza, na skutek zmian gospodarki tłuszczowej zanika ochronny płaszcz lipidowy, co zwiększa przeznaskórkową utratę wody. Najważniejszą cechą pielęgnacji skóry dojrzałej jest systematyczność. Warto przestrzegać kilku żelaznych zasad – staranny demakijaż wieczorem, skuteczne nawilżanie i odżywianie oraz ochrona przed słońcem z pewnością przyniosą oczekiwane rezultaty. W codziennej pielęgnacji warto postawić na preparaty do skóry suchej, odbudowujące naturalne właściwości obronne naskórka. Dojrzałe panie powinny szczególnie starannie czytać etykiety kremów, wybierając te zawierające składniki o udowodnionym działaniu ujędrniającym i przeciwzmarszczkowym. Ich wnikanie ułatwią peelingi, których jednak nie należy stosować zbyt często. Poza pielęgnacją kosmetyczną gwarantowanym sposobem na przedłużenie młodego wyglądu skóry jest aktywność fizyczna oraz dieta bogata w owoce i warzywa.

NAJPOPULARNIEJSZE SKŁADNIKI PRZECIWZMARSZCZKOWE

- Alfahydroksykwasy (AHA) – stymulują odnowę komórkową i pobudzają syntezę kolagenu.
- Fitoestrogeny – zwalczają wodne rodniki, spowalniają rozpad kolagenu i elastyny, stymulują podziały komórkowe w naskórku, sprzyjają produkcji nowych białek strukturalnych.
- Koenzym Q – poprawia wykorzystanie tlenu przez komórki, poprawiają funkcje obronne naskórka, pobudzają regenerację i zwiększają jędrność skóry.
- Kwas hialuronowy – utrzymuje odpowiedni poziom nawilżenia skóry, ułatwia wchłanianie innych substancji odżywczych.
- Kwas liponowy – substancja o silnym działaniu przeciwutleniającym.
- Peptydy – pobudzają tworzenie kolagenu i elastyny.
- Polialfahydroksykwasy – alfahydroksykwasy nowej generacji, wzbogacone w działanie nawilżające.
- Retinoidy – pochodne witaminy A, początkowo stosowane w terapii trądziku, dziś często spotykany składnik preparatów przeciwzmarszczkowych.
- Witamina C – zwalcza wodne rodniki, przywraca skórze jędrność, hamuje rozpad kolagenu i elastyny, często stosowana wraz z witaminą E.

DOMOWE MASECZKI I PEELINGI DO SKÓRY DOJRZAŁEJ

Odmładzająca maseczka algowa

- 1 łyżka sproszkowanych alg
- 1 łyżeczka płynnego miodu

Algi wymieszać z miodem na gładką pastę. Nałożyć na twarz, po 15 minutach spłukać ciepłą wodą.

. . .

Odżywcza maseczka brzoskwiniowa

- 8 pestek z brzoskwini
- 1 łyżka jogurtu naturalnego
- 1 łyżeczka oleju lnianego

Pestki obrać z łupiny, miękki rdzeń zetrzeć na drobnej tarce. Połączyć z jogurtem i olejem, wymieszać na gładką pastę. Nałożyć na twarz, po 15 minutach spłukać ciepłą wodą.

. . .

Wygładzający peeling miodowo-cukrowy

- 1 łyżka miodu
- 1 łyżeczka brązowego cukru

Miód wymieszać z cukrem. Nałożyć na twarz, masować trzy minuty okrężnymi ruchami, omijając okolice oczu i ust. Spłukać letnią wodą.

. . .

Regenerująca maseczka z awokado

- ½ dojrzałego awokado
- 1 łyżeczka śmietany
- 5 kropli soku z cytryny

Awokado rozgnieść widelcem, połączyć z pozostałymi składnikami. Nałożyć na twarz, po 15 minutach spłukać ciepłą wodą.

. . .

Cera zmęczona

Stres, pośpiech, papierosy, zanieczyszczenie środowiska... Wszystko to powoduje, że nasza cera traci blask, staje się szara, a pod oczami pojawiają się cienie. Warto wówczas sięgnąć po kosmetyki zawierające kwasy owocowe, rozświetlające cerę i nadające jej zdrowy odcień. Świetnie sprawdzają się soki i nalewki z pokrzywy, a także doustne preparaty z żeń-szeniem. A najlepiej zacząć od rzucenia palenia!

DOMOWE MASECZKI I PEELINGI DO SKÓRY ZMĘCZONEJ

Intensywnie odżywiająca maseczka czekoladowo-kawowa

- 1 łyżka drobno zmielonej kawy
- 1 łyżka kakao naturalnego
- 1 łyżeczka mleczka migdałowego lub kokosowego (można zastąpić śmietaną)
- 1 łyżka miodu

Wszystkie składniki wymieszać na gładką pastę. Nałożyć na twarz, po 15 minutach spłukać ciepłą wodą.

   . . .

Rozświetlający peeling cukrowo-dyniowy

- ½ filiżanki ugotowanego miąższu dyni
- ½ filiżanki brązowego cukru
- 1 łyżka oliwy
- szczypta cynamonu

Miąższ dyni rozgnieść widelcem na papkę, połączyć z pozostałymi składnikami. Nałożyć na twarz, masować trzy minuty okrężnymi ruchami, omijając okolice oczu i ust. Spłukać letnią wodą.

   . . .

Rewitalizująca maseczka miętowa

- 2 łyżki śmietany lub jogurtu
- 5 świeżych liści mięty
- 1 łyżeczka zielonej glinki (do kupienia w sklepach z ekologicznymi kosmetykami oraz w internecie)

Wszystkie składniki dokładnie zmiksować. Nałożyć na twarz, po 15 minutach spłukać ciepłą wodą.

   . . .

Maseczka marchewkowa poprawiająca koloryt

- 1 marchew
- 1 łyżka oliwy
- 1 łyżka miodu

Marchew zetrzeć na drobnej tarce, połączyć z pozostałymi składnikami. Nałożyć na twarz, po 15 minutach spłukać ciepłą wodą.

   . . .

Okolice oczu i ust

Skóra wokół oczu jest najcieńsza na całej twarzy, pozbawiona gruczołów tłuszczowych, zawiera też niewiele kolagenu i elastyny. Jeśli dodać do tego narażenie na niekorzystne czynniki środowiska oraz fakt, że codziennie wykonujemy mnóstwo ruchów związanych z mimiką, trudno się dziwić, że właśnie okolice oczu i ust najszybciej zdradzają nasz wiek.

Warto dbać o nie od młodości, stosując specjalistyczne preparaty zapewniające nawilżenie i jędrność. W późniejszym wieku nie zawadzi sięgnąć po kosmetyki z kwasem hialuronowym, działające jak wypełniacze zmarszczek. Aby zapewnić skórze odpowiedni poziom nawilżenia, należy pić dużo wody, a skutecznym sposobem zapobiegającym gromadzeniu się płynów wokół oczu (co skutkuje opuchlizną) jest spanie na wyższej poduszce, tak aby głowa była uniesiona względem tułowia. A jeśli

zdarzy nam się szalona nieprzespana noc, pozostaje sięgnąć po wypróbowany domowy sposób: położyć na powieki zaparzoną i wystudzoną torebkę herbaty. Od czasu do czasu warto zafundować ustom peeling, co zapewni wargom gładkość i kuszący kolor. Można w tym celu użyć kupnego peelingu enzymatycznego lub zwykłego cukru. W obu przypadkach masujemy delikatnie usta okrężnymi ruchami (opuszkami palców lub szczoteczką do zębów o miękkim włosiu), a po minucie spłukujemy preparat ciepłą wodą.

Szyja i dekolt

O szyję i dekolt należy dbać równie troskliwie jak o twarz, ponieważ skóra w tych okolicach jest cienka i delikatna, przez co szybko zdradza objawy starzenia. Wiele firm oferuje specjalne produkty do pielęgnacji szyi i dekoltu, bogate w składniki dostosowane do szczególnych wymagań tych okolic. Jeśli nie decydujemy się na ich stosowanie, można stosować pielęgnację taką samą jak twarzy.

Nie wolno zapominać o odpowiednich preparatach przeciwsłonecznych, ponieważ promienie ultrafioletowe przyspieszają procesy starzenia.

Nieodzownym elementem dbania o szyję są peelingi, pozwalające usunąć martwe komórki naskórka i przyspieszyć wnikanie składników aktywnych zawartych w preparatach pielęgnacyjnych. Podczas wykonywania peelingu należy wykonywać ruchy od dołu do góry, przeciwne do działania grawitacji. Do tego rodzaju zabiegów należy wybierać specjalistyczne preparaty do szyi i dekoltu lub do twarzy – peelingi do ciała mają często zbyt grube ziarna, przez co mogą działać podrażniająco. Doskonałym sposobem na ujędrnienie skóry szyi i dekoltu są kilkusekundowe zimne prysznice. Raz w tygodniu warto nałożyć na skórę maseczkę na bazie oliwy lub ciepły kompres z gazy nasączonej oliwą. Ogromny wpływ na wygląd szyi i dekoltu ma nasza postawa – wyprostowana sylwetka z uniesioną głową to gwarantowany sposób na piękny dekolt. Niestety, praca lub nauka przy komputerze bardzo obciąża kręgosłup i osła-

bia mięśnie szyi. Warto co dwie–trzy godziny zrobić sobie przerwę i wykonać kilka prostych ćwiczeń opisanych w ramce (zob. s. 28).

MASECZKI I PEELINGI NA SZYJĘ I DEKOLT

Witaminowa maseczka bananowa

- 1 bardzo dojrzały banan
- 5 kropli witaminy E (do kupienia w aptece w kapsułkach)
- 1 łyżeczka oliwy

Banan rozgnieść widelcem na gładką papkę, połączyć z witaminą E i oliwą. Nałożyć na szyję i dekolt, po 20 minutach zmyć letnią wodą.

. . .

ĆWICZENIA NA WZMOCNIENIE MIĘŚNI SZYI

- przechylanie głowy na prawą i lewą stronę
- skłony głowy w tył i przód
- zataczanie głową kręgów w prawą i lewą stronę

Odżywcza maseczka nabiałowo-owocowa

- 1 bardzo dojrzały banan
- 2 łyżki serka homogenizowanego
- 1 żółtko

Banana rozgnieść widelcem na gładką papkę, połączyć z serkiem i żółtkiem. Nałożyć na szyję i dekolt, po 20 minutach zmyć letnią wodą.

. . .

Regenerująca maseczka żółtkowo-oliwkowa

- 2 żółtka
- 2 łyżki oliwy

Oliwę utrzeć z żółtkami na gładką masę. Nałożyć na szyję i dekolt, po 20 minutach zmyć letnią wodą.

. . .

Regenerujący peeling mleczny

- 2 łyżki płatków owsianych
- ¼ szklanki ciepłego tłustego mleka

Płatki zalać mlekiem, odstawić na 20 minut, aby napęczniały. Delikatnie wmasować w dekolt okrężnymi ruchami. Spłukać ciepłą wodą, kończąc lodowatym prysznicem.

* * *

Kompres na dekolt

- 3 łyżki zielonej herbaty

Herbatę zalać wrzątkiem, odczekać do ostygnięcia. Gdy napar będzie letni, zanurzyć w nim ręcznik, lekko odcisnąć, położyć na dekolcie. Kompres można stosować na skórę posmarowaną kremem, co przyspieszy wchłanianie substancji odżywczych

* * *

Wygładzający peeling kawowo-miodowy

- 2 łyżki średnio grubo zmielonej kawy
- 1 łyżka płynnego miodu

Kawę zalać wrzątkiem, odstawić do ostygnięcia, odcedzić, połączyć fusy z miodem. Delikatnie wmasować w dekolt okrężnymi ruchami. Spłukać ciepłą wodą, kończąc lodowatym prysznicem.

Pielęgnacja ciała

Od czasu do czasu warto wygospodarować kilka godzin na spokojną, niespieszną pielęgnację ciała. Najlepiej zacząć od peelingu, który złuszcza martwe komórki naskórka, wygładza skórę i ułatwia wchłanianie składników pielęgnacyjnych. Potem pora na odprężającą kąpiel. Aby relaks był pełny, nie zaszkodzi ustawić obok wanny kominek z ulubionym olejkiem eterycznym lub świece zapachowe. Kąpiel nie powinna być zbyt gorąca – woda powinna zapewniać przyjemne uczucie ciepła, ale nie parzyć.

DOMOWE PEELINGI DO CIAŁA

Wygładzający peeling owsiany

- 2 łyżki płatków owsianych
- 2 łyżki otrąb pszennych
- 1 łyżeczka soli
- 1 łyżeczka mleka

Wymieszać wszystkie składniki. Masować ciało okrężnymi ruchami, spłukać ciepłą wodą.

. . .

Wygładzający peeling owsiany

- 2 łyżki płatków owsianych
- 2 łyżki otrąb pszennych
- 1 łyżeczka soli
- 1 łyżeczka mleka

Wymieszać wszystkie składniki. Masować ciało okrężnymi ruchami, spłukać ciepłą wodą.

. . .

Aromatyczny peeling oliwkowy

- 25 dag soli morskiej
- 100 ml oliwy
- 3 krople olejku cytrynowego
- 3 krople olejku pomarańczowego
- 2 krople olejku szałwiowego
- 1 kropla olejku z geranium

Wymieszać wszystkie składniki. Masować ciało okrężnymi ruchami, spłukać ciepłą wodą.

. . .

Energetyzujący peeling ryżowy

- 1 małe opakowanie jogurtu naturalnego
- 1 filiżanka grubo zmielonego ryżu
- 5 liści mięty
- 2 krople olejku miętowego

Wszystkie składniki wymieszać w blenderze, odstawić na noc do lodówki. Masować ciało okrężnymi ruchami, spłukać ciepłą wodą.

. . .

Regenerujący peeling solny

- 3 łyżki soli morskiej
- 2 łyżki oliwki dla niemowląt
- 5 kropli olejku morelowego

Wymieszać wszystkie składniki. Masować ciało okrężnymi ruchami, spłukać ciepłą wodą. Ten peeling ma silne działanie, dlatego najlepiej stosować go tylko na obszarach zgrubiałej skóry, wymagających intensywnego złuszczenia, takich jak pięty lub łokcie.

. . .

Odprężający peeling cukrowo-waniliowy

- 1 filiżanka brązowego cukru
- 2 łyżki oliwy
- 1 łyżeczka esencji waniliowej

Wymieszać wszystkie składniki. Masować ciało okrężnymi ruchami, spłukać ciepłą wodą.

. . .

Łagodzący peeling cukrowo-aloesowy

- 2 łyżki cukru kryształu
- 2 łyżki płatków owsianych
- 2 łyżki żelu aloesowego (do kupienia w sklepach z ekologicznymi kosmetykami oraz w internecie)
- 1 łyżeczka miodu
- 1 łyżeczka soku z cytryny
- 1 łyżeczka oliwy

Wymieszać wszystkie składniki. Masować ciało okrężnymi ruchami, spłukać ciepłą wodą.

. . .

Nawilżający peeling jogurtowy

- 3 łyżki oliwki dla niemowląt
- 1 łyżka jogurtu
- 1 łyżka cukru kryształu

Wymieszać wszystkie składniki. Masować ciało okrężnymi ruchami, spłukać ciepłą wodą. Ten peeling szybko się rozpuszcza, dlatego lepiej wykonać go przed wzięciem kąpieli, a nie pod prysznicem.

. . .

WALENTYNKI W DOMOWYM SPA

A może w tym roku zamiast oklepanej kolacji w restauracji urządzicie sobie intymny wieczór w domowym spa? Wspólna kąpiel oraz wzajemny peeling i masaż to doskonały sposób na odprężenie przed dalszym ciągiem wieczoru…

RELAKSUJĄCE KĄPIELE DLA DWOJGA

- 5 kropli olejku waniliowego
- 5 kropli olejku jaśminowego
- skórka otarta z 1 pomarańczy
- napar przygotowany z 1 części suszonej róży, 1 części lawendy i 1 części rumianku
- 3 krople olejku różanego
- 3 krople olejku z drzewa sandałowego
- 1 szklanka mleka
- 4 krople olejku jaśminowego
- 4 krople olejku imbirowego
- 4 krople olejku z kwiatu pomarańczy

POBUDZAJĄCY PEELING DLA DWOJGA I

- 1 filiżanka grubego brązowego cukru
- 5 łyżek świeżo wyciśniętego soku z pomarańczy
- 1 łyżka otartej skórki z pomarańczy
- 1 łyżka gęstego kremu
- 1 zmiażdżona laska wanilii lub 1 łyżka olejku waniliowego
- 2 łyżki oliwy
- 2 krople olejku pomarańczowego
- 2 krople olejku z drzewa sandałowego
- 2 krople olejku ylang-ylang

POBUDZAJĄCY PEELING DLA DWOJGA II

- 1 filiżanka grubego brązowego cukru
- 5 łyżek świeżo wyciśniętego soku z pomarańczy
- 1 łyżka otartej skórki z pomarańczy
- 1 łyżka gęstego kremu
- 1 zmiażdżona laska wanilii lub 1 łyżka olejku waniliowego

DOMOWE MIESZANKI DO KĄPIELI

Uspokajająca kąpiel lawendowa

- 1 filiżanka mleka w proszku
- 2–3 krople olejku lawendowego

Oba składniki wymieszać, dodać do kąpieli.

· · ·

Odżywcza kąpiel różana

- 2 litry tłustego mleka
- ½ filiżanki płynnego miodu
- 5 kropli olejku różanego

Mleko lekko podgrzać, dodać miód i olejek różany, dokładnie wymieszać. Wlać do kąpieli.

· · ·

Aromatyczna sól do kąpieli

- 2 filiżanki mleka w proszku
- ½ filiżanki soli Epsom (do kupienia w sklepach z ekologicznymi kosmetykami oraz w internecie)
- 1 opakowanie proszku do pieczenia
- 6 kropli olejku sandałowego
- 5 kropli olejku waniliowego
- 4 krople olejku gardeniowego
- 4 krople olejku pomarańczowego

Wszystkie składniki wymieszać, dodać do kąpieli.

· · ·

Łagodząca kąpiel krochmalowa

- 50 dag mąki ziemniaczanej

Z mąki przyrządzić krochmal, wlać do kąpieli. Świetny sposób na łagodzenie skóry podrażnionej po opalaniu.

· · ·

Pachnąca kąpiel owsiana

- ¼ filiżanki płatków owsianych
- ½ filiżanki mleka w proszku
- 1 łyżka oliwy
- 6 kropli olejku lawendowego

Płatki owsiane włożyć do muślinowego woreczka i zanurzyć w wodzie. Pozostałe składniki dodać bezpośrednio do kąpieli.

· · ·

Kąpiel Kleopatry

- 2 l mleka
- 2 łyżki oliwy
- 2 łyżki kwiatów czarnego bzu
- 5 kropli aromatu pomarańczowego

Czarny bez zalać 1 szklanką wrzątku. Po 20 minutach odcedzić, wymieszać z pozostałymi składnikami, wlać do kąpieli.

· · ·

Kąpiel przyciemniająca skórę

- 10 łyżek kory dębu
- 3 łyżki liści orzecha włoskiego
- 3 łyżki kwiatów rumianku

Zioła zalać litrem wody, gotować przez 30 minut na małym ogniu. Odcedzić i wlać do kąpieli.

. . .

Relaksująca kąpiel ziołowa

- 2 łyżki suszonych kwiatów lawendy
- 2 łyżki suszonego ziela nostrzyka

Zioła zalać 1 szklanką wrzątku. Po 20 minutach odcedzić, wlać do kąpieli.

. . .

Kojąca kąpiel miodowo-mleczna

- 1 l mleka
- 1 filiżanka płynnego miodu

Mleko lekko podgrzać, dodać miód, dokładnie wymieszać. Wlać do kąpieli.

. . .

Wygładzająca kąpiel owsiana

- 30 dag płatków owsianych

Płatki owsiane włożyć do woreczka, zawiesić na kranie, puścić ciepłą wodę. Po napełnieniu wanny kilkakrotnie wycisnąć.

. . .

Wygładzająca kąpiel maślankowa

- 2 l maślanki

Maślankę wlać do kąpieli.

. . .

Rozgrzewająca kąpiel korzenna

- 10 goździków
- ½ łyżeczki cynamonu
- otarta skórka z 1 pomarańczy

Wszystkie składniki włożyć do garnuszka, zalać wodą, gotować przez 20 minut na małym ogniu. Przecedzić, dodać do kąpieli.

. . .

Energetyzująca sól do kąpieli

- ½ filiżanki soli Epsom
- ½ filiżanki soli morskiej
- 3 krople olejku eukaliptusowego
- 5 kropli olejku miętowego

Wszystkie składniki wymieszać, dodać do kąpieli.

. . .

Cellulit? Jaki cellulit?

Utrapieniem wielu kobiet jest cellulit, czyli nierówności, zgrubienia i bruzdy na powierzchni ciała, zwłaszcza w okolicach ud i pośladków. Zabiegi w gabinetach kosmetycznych kosztują fortunę, dlatego mało kogo stać, aby często je powtarzać – a jeśli chodzi o walkę z celulitem, największe znaczenie ma systematyczność.

Warto poznać domowe sposoby radzenia sobie z utrapioną pomarańczową skórką. Doskonałym sposobem na wygładzenie skóry i przeciwdziałanie tworzeniu się nieestetycznych zgrubień jest peeling kawowy połączony z energicznym masażem. Ale nie ma co liczyć na spektakularne efekty bez działań bardziej ogólnych – przede wszystkim zwiększenia aktywności fizycznej i rezygnacji z papierosów. Cellulit warto także atakować od wewnątrz, pijąc zieloną herbatę lub napary ze skrzypu i pokrzywy. Na jędrność skóry doskonale działają naprzemienne ciepłe i zimne prysznice.

▍Antycelulitowy peeling kawowy

- 2 łyżki grubo mielonej kawy
- 1 łyżka otrąb pszennych
- 1 łyżka brązowego cukru
- 1 łyżka miodu
- 1 łyżka oliwy
- 1 łyżeczka esencji waniliowej

Wymieszać wszystkie składniki. Masować ciało okrężnymi ruchami, spłukać ciepłą wodą.

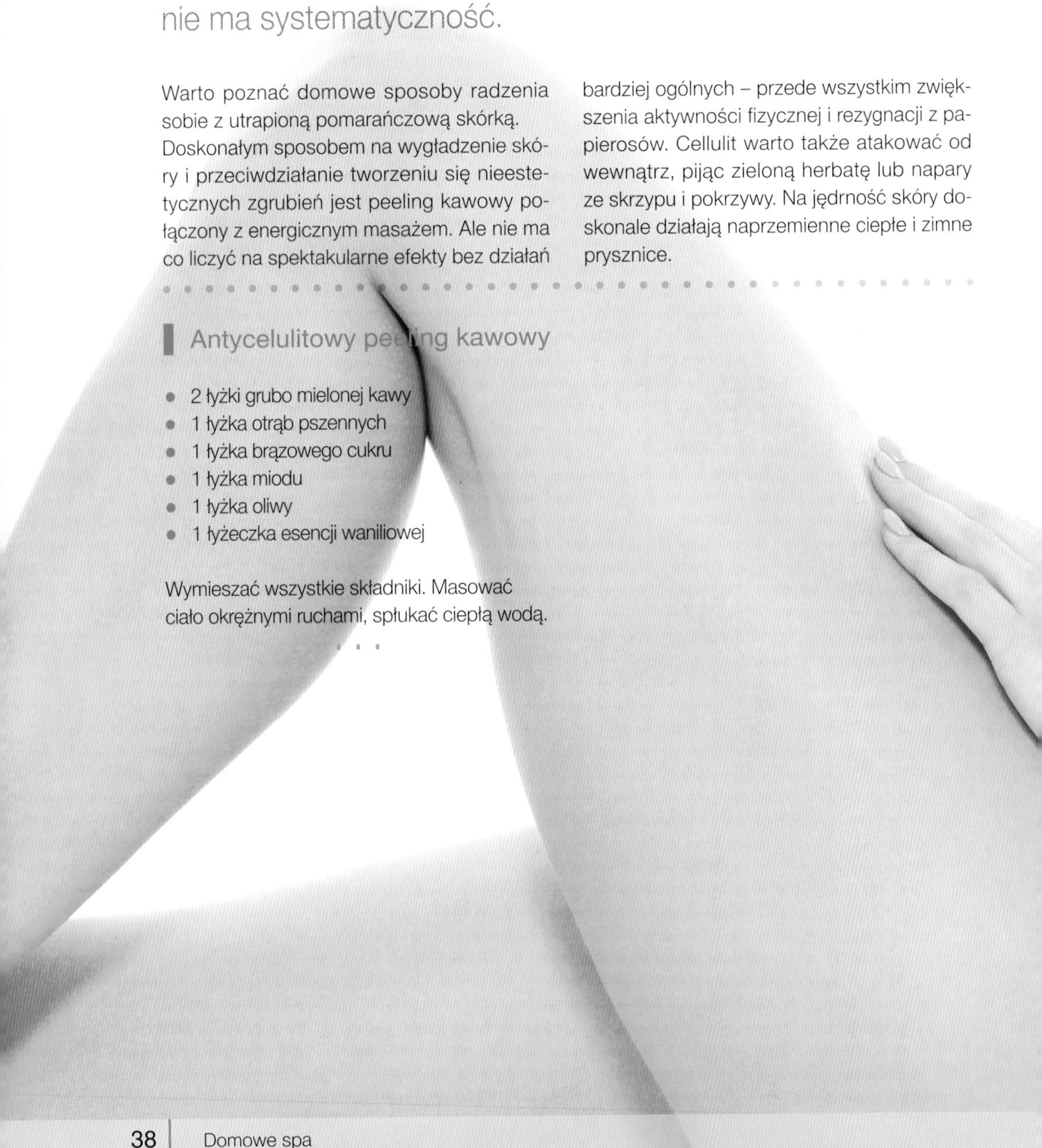

Niechciane pamiątki po ciąży (i nie tylko)

Wiele kobiet, nie tylko tych, które urodziły dziecko, boryka się z rozstępami. Przypominają one podłużne pasma i w istocie stanowią blizny powstające w warstwie skóry właściwej. Pojawiają się najczęściej na piersiach, udach i brzuchu w wyniku nieprawidłowego funkcjonowania elastyny i kolagenu, białek odpowiedzialnych za elastyczność, sprężystość i jędrność skóry. W efekcie siateczka włókien kolagenowych w skórze staje się bardzo krucha i się rozrywa.

Naukowcy wyróżniają dwie przyczyny rozstępów – hormonalne oraz spowodowane wahaniami masy ciała w wyniku ciąży lub gwałtownego chudnięcia bądź tycia.

Rozstępy da się skutecznie zwalczać tylko w pierwszej fazie powstawania, gdy mają kolor czerwony, różowy i fioletowy, co sygnalizuje stan zapalny. Należy wówczas starannie natłuszczać skórę oliwą lub olejem z winogron bądź z aloesu. Doskonale działają także masaże, ale należy wykonywać je bardzo delikatnie, aby nie spowodować powiększania się prążków. Gdy nastąpi zbliznowacenie rozstępów, o czym świadczy zmiana koloru bruzd na perłowy, domowe sposoby stają się bezskuteczne, ponieważ w skórze właściwej nastąpiły trwałe zmiany. Na szczęście w tej fazie rozstępy stają się znacznie mniej widoczne.

W przypadku rozstępów sprawdza się powiedzenie „lepiej zapobiegać niż leczyć". Doskonałymi sposobami na przeciwdziałanie pojawianiu się nieestetycznych prążków jest systematyczne dbanie o odpowiednie nawilżenie skóry, stosowanie naprzemiennych ciepłych i zimnych pryszniców, co zapewni jej jędrność, aktywność fizyczna, a także unikanie gwałtownego odchudzania i przybierania na wadze (w ciąży wcale nie trzeba „jeść za dwoje"!).

▌ Domowy krem na rozstępy

- ½ szklanki oliwy
- 4 krople witaminy A+E (do kupienia w aptece w kapsułkach)
- ¼ szklanki żelu aloesowego (do kupienia w sklepach z ekologicznymi kosmetykami oraz w internecie)

Wszystkie składniki dokładnie wymieszać w blenderze. Smarować skórę dwa razy dziennie. Przechowywać w lodówce.

Skóra Kleopatry

Nieodłącznym elementem pielęgnacji ciała jest usuwanie zbędnego owłosienia. Na rynku istnieje mnóstwo kremów do depilacji, tego rodzaju zabiegi oferuje też każdy gabinet kosmetyczny, sporo kobiet sięga po metody mechaniczne, stosując golarki lub depilatory, ale nie wolno zapominać o sposobie najstarszym, niezwykle skutecznym i bezpiecznym – depilacji pastą cukrową, stosowanej już przez królową Kleopatrę słynącą z idealnie gładkiej skóry.

Wymaga on nieco wprawy, ale trud zdecydowanie się opłaci, ponieważ poza wymienionymi zaletami metoda ta jest tania, a ponadto nie naraża skóry na kontakt z drażniącymi i nieprzyjemnie pachnącymi składnikami kremów do depilacji. Jeśli chodzi o porównanie z goleniem, depilację cukrową przeprowadza się znacznie rzadziej, ale trzeba uczciwie przyznać, że zajmuje więcej czasu i, niestety, jest bardziej bolesna.

Aby sporządzić pastę cukrową, potrzeba kilku niedrogich składników, które z pewnością znajdą się w każdym domu: 2 filiżanki białego cukru, ¼ filiżanki soku z cytryny i ¼ filiżanki wody. Wodę wlać do rondelka (najlepiej ze stali nierdzewnej), dodać sok z cytryny i cukier, ustawić na średnim ogniu,

doprowadzić do wrzenia, zmniejszyć ogień i delikatnie gotować przez 25–28 minut, mieszając od czasu do czasu drewnianą łyżką. Płyn stanie się przezroczysty i stopniowo zmieni barwę na ciemnomiodową, a pod koniec gotowania powinien być ciemnobursztynowy. To bardzo ważny moment – nie wolno dopuścić, by mieszanina ulegała karmelizacji, w przeciwnym razie trzeba będzie zacząć od początku (przyda się termometr kucharski – temperatura nie powinna przekraczać 250°C). Gotowy płyn należy przelać do szklanego pojemnika (zachowując ostrożność, ponieważ jest bardzo gorący) i odstawić do ostygnięcia w temperaturze pokojowej na około półtorej godziny. Mieszanina powinna być gęsta i kleista,

ale jednocześnie musi dać się formować w palcach w kulki jak guma do żucia. Teraz możemy przystąpić do depilacji. Szpatułką rozprowadzamy pastę na wybranym fragmencie skóry na grubość około 5-6 mm, zgodnie z kierunkiem wzrostu włosów. Jeśli ma właściwą konsystencję, będziemy w stanie oderwać kraniec i pociągając przeciwnie do kierunku wzrostu włosów, zerwać całość jednym ruchem. Zaboli – ale tylko przez

chwilę. W przypadku problemów z usunięciem pasty można po rozsmarowaniu przykryć ją mocno kawałkiem płótna i podczas zrywania ciągnąć za tkaninę. Teraz pozostaje zmyć resztki ciepłą wodą z mydłem i nałożyć balsam nawilżający. Ta sama porcja pasty nadaje się do kilkakrotnego użytku, dopóki będzie się kleić. Nadmiar można przechowywać w lodówce nawet przez miesiąc.

DEPILACJA PASTĄ CUKROWĄ – KILKA UŻYTECZNYCH WSKAZÓWEK

- Depilacja pastą cukrową jest najskuteczniejsza w przypadku włosów o długości 3-6 mm. Krótsze nie przykleją się wystarczająco mocno, a w przypadku dłuższych zabieg będzie bardziej bolesny.
- Skóra przed depilacją powinna być zupełnie sucha. Z tego względu nie należy wykonywać zabiegu bezpośrednio po kąpieli lub ćwiczeniach.
- Aby zapobiec wrastaniu włosków, najlepiej wykonywać zabieg regularnie, dobrze sprawdzają się także peelingi ciała.

Pielęgnacja
dłoni

Piękne i delikatne dłonie to wizytówka każdej zadbanej kobiety. Dłonie mówią bardzo wiele o naszym sposobie życia, bezlitośnie zdradzają także nasz wiek... Jeśli o nich zapomnimy, nawet najpiękniejszy i najdroższy strój nie wywrze oczekiwanego efektu. Niestety, często tak właśnie się zdarza, a przecież dłonie wymagają szczególnie starannej pielęgnacji.

Skóra w tej okolicy zawiera bowiem niewiele gruczołów łojowych, przez co ma tendencję do wysuszania. Na domiar złego dłonie często są narażone na szkodliwe warunki atmosferyczne oraz wchodzą w kontakt z silnie działającymi substancjami chemicznymi, detergentami, ziemią podczas prac ogrodowych, co z pewnością nie wychodzi im na dobre.

Dbając o dłonie, nie zapominajmy o paznokciach. Zdrowe, błyszczące paznokcie bez przerośniętych skórek nie wymagają wymyślnego manicure'u. Z drugiej strony brudnym i zaniedbanym paznokciom nie pomoże nawet najdroższy lakier.

Oto kilka wskazówek, dzięki którym już nigdy nie będziemy chować dłoni wstydliwie za plecami:

- Kilka razy dziennie smaruj dłonie kremem nawilżającym.
- Raz w tygodniu wykonaj peeling dłoni i zastosuj maskę.
- Raz w tygodniu przed pójściem spać posmaruj dłonie kremem do twarzy i nałóż na noc bawełniane rękawiczki.
- Podczas prac w ogrodzie, zmywania i innych czynności domowych noś gumowe lub lateksowe rękawiczki.
- Chroń dłonie przez zmiennymi warunkami atmosferycznymi i słońcem.

OSIEM KROKÓW DO PIĘKNYCH DŁONI I PAZNOKCI

1. Usuwanie – dokładnie zmyj stary lakier wacikiem zamoczonym w zmywaczu do paznokci (najlepiej wybierać łagodniejsze zmywacze bezacetonowe).

2. Kształtowanie – obetnij paznokcie do odpowiedniej długości i nadaj im pilnikiem pożądany kształt (owalny lub kwadratowy).

3. Namaczanie – umieść dłonie w kąpieli, aby je odprężyć i zmiękczyć skórki. Woda powinna być ciepła, nie gorąca, ponieważ zbyt wysoka temperatura powoduje nadmierne wysuszenie skóry.

4. Zmiękczanie – nałóż na skórki olejek lub balsam.

5. Odsuwanie – delikatnie odsuń skórki patyczkiem lub szpatułką. Wycinanie skórek najlepiej pozostawić kosmetyczce!

6. Złuszczanie – wykonaj peeling dłoni, następnie dokładnie spłucz je letnią wodą.

7. Lakierowanie – nałóż lakier podkładowy lub odżywkę, następnie dwie warstwy lakieru właściwego i wierzchni lakier nabłyszczający.

8. Nawilżanie – posmaruj dłonie kremem nawilżającym.

DOMOWE PEELINGI, MASKI I KĄPIELE DO DŁONI I PAZNOKCI

Podstawowy peeling cukrowy

- 2 łyżki oliwy, oleju lub oliwki kosmetycznej
- 3 łyżki cukru

Połączyć oba składniki, delikatnie masować dłonie przez 2–3 minuty. Spłukać ciepłą wodą.

. . .

Kompres rycynowy na paznokcie

- 1 łyżka oleju rycynowego
- 5 kropli soku z cytryny

Oba składniki wymieszać, wmasować w paznokcie kolistymi ruchami.

. . .

Wygładzająca kąpiel w siemieniu

- 2 łyżki siemienia lnianego

Siemię zalać 1½ szklanki wrzątku, odstawić na 15 minut, aż napar ostygnie i wytworzy się śluz. Moczyć dłonie przez 15–20 minut. Osuszyć papierowym ręcznikiem.

. . .

Głęboko regenerująca kąpiel w oliwie

- ½ filiżanki oliwy
- 5 kropli witaminy A+E (do kupienia w aptece w kapsułkach)
- ½ łyżeczki soku z cytryny

Oliwę lekko podgrzać, wycisnąć zawartość kapsułek, dodać sok z cytryny. Moczyć dłonie przez 15–20 minut. Po kąpieli wmasować mieszankę w paznokcie. Osuszyć papierowym ręcznikiem.

. . .

Cytrynowy peeling solny

- 1 łyżka soku z cytryny
- 1 łyżka grubej soli morskiej

Połączyć oba składniki, delikatnie masować dłonie przez 2–3 minuty. Spłukać ciepłą wodą.

. . .

Odżywcza kąpiel mleczno-ziołowa

- ½ filiżanki mleka
- ½ filiżanki naparu z rumianku

Oba składniki połączyć, lekko podgrzać. Moczyć dłonie przez 15–20 minut. Osuszyć papierowym ręcznikiem.

. . .

Kąpiel do łamliwych paznokci i przesuszonych skórek

- ½ filiżanki oliwy
- 3 łyżki suszonego skrzypu
- 5 kropli soku z cytryny

Skrzyp zalać ½ filiżanki wrzątku, odstawić na 20 minut, odcedzić, ciepły napar połączyć z oliwą, dodać sok z cytryny. Moczyć paznokcie 20 minut, osuszyć papierowym ręcznikiem.

. . .

Łagodząca podrażnienia maseczka ziemniaczana

- 1 ugotowany ziemniak
- 1 łyżka mleka, śmietanki lub twarożku

Ziemniak rozgnieść widelcem, wymieszać z mlekiem, śmietanką lub twarożkiem na gładką papkę. Obłożyć dłonie na 20 minut, spłukać ciepłą wodą.

. . .

Kojąca kąpiel w płatkach owsianych

- 1 łyżka płatków owsianych
- 1 łyżka soli
- 1 szklanka letniego mleka

Wszystkie składniki wymieszać. Zanurzyć dłonie na 15 minut, spłukać ciepłą wodą.

. . .

Owocowa maseczka do paznokci

- 1 mały ogórek
- ½ cytryny
- ¼ jabłka

Ogórek i jabłko obrać, zetrzeć na tarce, cytrynę drobno pokroić. Składniki wymieszać, włożyć do miseczki. Zanurzyć paznokcie na 20 minut, spłukać ciepłą wodą.

. . .

Rewitalizująca maseczka żółtkowa

- 1 żółtko
- 1 łyżka masła
- 1 łyżka miodu

Składniki wymieszać, wetrzeć w dłonie kolistymi ruchami. Pozostawić na 10 minut, spłukać ciepłą wodą.

. . .

Łagodząca podrażnienia kąpiel nagietkowa

- 4 łyżki suszonych kwiatów nagietka

Kwiaty nagietka zalać 1 szklanką wrzątku, odstawić do ostygnięcia. Moczyć dłonie 15–20 minut. Osuszyć papierowym ręcznikiem.

Zmiękczający kompres glicerynowy

- 2 łyżki gliceryny
- 1 pomidor
- 1 limonka lub cytryna

Pomidor obrać ze skórki, zmiksować, połączyć z sokiem z limonki lub cytryny i gliceryną. Masować dłonie 3-4 minuty, spłukać ciepłą wodą.

. . .

Wygładzająca maseczka miodowa

- 1 łyżka miodu
- 1 białko jajka

Oba składniki wymieszać, nałożyć na dłonie. Pozostawić na 15 minut, spłukać ciepłą wodą.

. . .

Odżywczy kompres miodowo-oliwny

- 1 łyżeczka miodu
- 1 łyżeczka oliwy

Oba składniki wymieszać, nałożyć na dłonie. Włożyć dłonie do torebek foliowych, następnie założyć bawełniane rękawiczki. Pozostawić na 30 minut, spłukać ciepłą wodą.

. . .

Pielęgnacja stóp

Gdyby chcieć wskazać najbardziej zaniedbywaną część ciała, prawdopodobnie byłyby to stopy. A przecież od rana do wieczora wykonują one tytaniczną pracę, dźwigając ciężar naszego ciała. Dlatego dbanie o stopy to nie tylko kwestia urody, ale także zdrowia.

Pierwszym elementem pielęgnacji stóp jest pozbycie się zgrubień i stwardnień. Czynność tę trzeba wykonywać regularnie, w przeciwnym razie skóra może popękać, co powoduje ból i jest znacznie trudniejsze do zaleczenia. Można posłużyć się specjalną metalową tarką (znacznie bardziej higieniczną w użyciu niż tradycyjny pumeks), ale wcześniej warto zafundować naszym stopom odprężająco-zmiękczającą kąpiel i staranny peeling. Do kąpieli nie zaszkodzi wrzucić kilkunastu szklanych kulek i przesuwać po nich stopami, aby pobudzić zakończenia nerwowe. Doskonałym ćwiczeniem będzie chwytanie kulek palcami stóp. Po spłukaniu należy stopy bardzo dokładnie osuszyć (zwłaszcza między palcami) oraz obciąć paznokcie, tak aby tworzyły linię prostą, co zapobiegnie ich wrastaniu. Po nałożeniu lakieru (aby ułatwić sobie zadanie, można posłużyć się specjalnymi separatorami lub umieścić między palcami bawełniane waciki) doskonale zrobi stopom masaż wykonany przy użyciu odżywczego kremu. Podczas masażu dłonie umieszcza się z obu stron stopy i przyciskając górną część,

wykonuje się kciukami ruchy na zewnątrz podeszwy, kilkakrotnie przesuwając się do przodu i do tyłu.

Ponieważ nasze stopy przez cały dzień są narażone na ogromne obciążenia, często reagują obrzękiem. Oto skuteczne sposoby zapobiegania uczuciu zmęczenia i ciężkości stóp:

- Szybkim doraźnym sposobem pozbycia się nieprzyjemnego obrzęku jest zamoczenie stóp w zimnej wodzie – w misce lub pod kranem.
- Inną skuteczną metodą będzie masaż stóp puszkami napojów wyjętymi z lodówki.
- Aby pozbyć się uczucia zmęczenia, ułóż stopy na uniesionej poduszce i pozostań w tej pozycji przez około 20 minut.
- Wmasuj w stopy mieszankę olejku miętowego i innego ulubionego olejku eterycznego. Doskonale działa także olejek imbirowy oraz olejek z geranium. Masaż pobudza krążenie, a tym samym zapobiega obrzękom. Aby zmniejszyć intensywność zapachu, można dodać po kropli ulubionego olejku eterycznego do dwóch łyżek oliwy i wymasować stopy taką mieszanką.

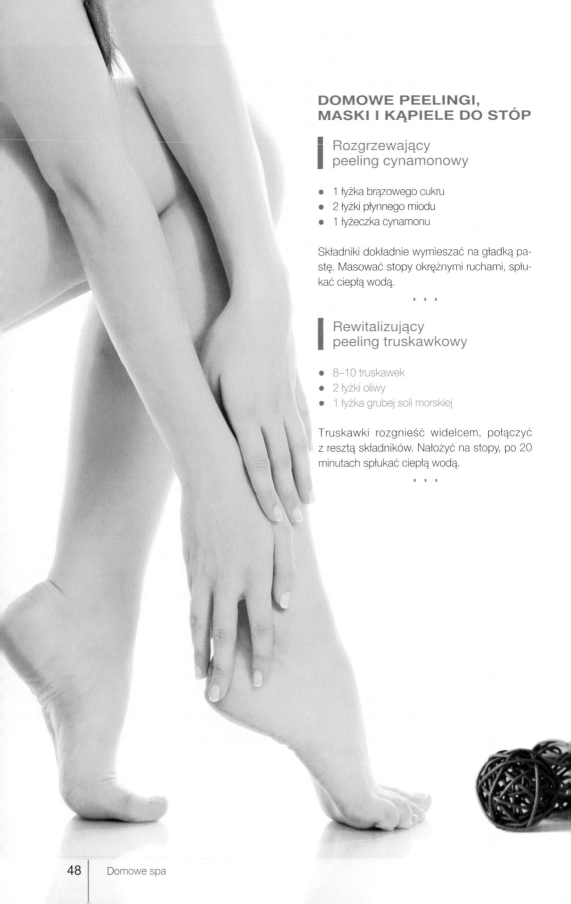

DOMOWE PEELINGI, MASKI I KĄPIELE DO STÓP

Rozgrzewający peeling cynamonowy

- 1 łyżka brązowego cukru
- 2 łyżki płynnego miodu
- 1 łyżeczka cynamonu

Składniki dokładnie wymieszać na gładką pastę. Masować stopy okrężnymi ruchami, spłukać ciepłą wodą.

. . .

Rewitalizujący peeling truskawkowy

- 8–10 truskawek
- 2 łyżki oliwy
- 1 łyżka grubej soli morskiej

Truskawki rozgnieść widelcem, połączyć z resztą składników. Nałożyć na stopy, po 20 minutach spłukać ciepłą wodą.

. . .

▌ Łagodząca maseczka lniana

- ½ szklanki siemienia lnianego
- 3 łyżki oliwy

Siemię zalać wodą, ugotować kleik, odstawić do ostygnięcia. Do ciepłego dodać oliwę. Nałożyć na stopy, po 20 minutach spłukać ciepłą wodą.

. . .

▌ Odprężający peeling miętowy

- 4 łyżki grubej soli morskiej
- 5 łyżek oliwy
- 10 kropli olejku miętowego

Składniki dokładnie wymieszać na gładką pastę. Masować stopy okrężnymi ruchami, spłukać ciepłą wodą.

. . .

ĆWICZENIA NA PIĘKNE I ZRELAKSOWANE STOPY

Świetnym sposobem na zapobieganie obrzękom i utrzymanie stóp w doskonałej kondycji jest codzienne wykonywanie kilku prostych ćwiczeń:

1. Stań prosto ze złączonymi nogami. Unieś jedno kolano jak najwyżej, maksymalnie zadrzyj stopę do góry, a następnie odchyl w przeciwną stronę. Wyprostuj nogę w kolanie i maksymalnie obciągnij stopę w przód. Powtórz kilka razy.

2. Zegnij palce u stóp i owiń je gumową taśmą. Następnie postaraj się maksymalnie wyprostować palce. Powtórz około 10 razy na każdą stopę.

3. Usiądź na podłodze z wyprostowanymi nogami. Podwiń palce u stóp, starając się jednocześnie podnieść pięty. Wytrzymaj w tej pozycji przez około 5 sekund, powtórz 5 razy.

4. Pokochaj rower – to jedno z najlepszych ćwiczeń na wzmocnienie mięśni stóp!

Rozgrzewająca kąpiel cynamonowa

- 1 filiżanka mleka
- 1 łyżka oliwy
- sok z 2 cytryn
- 2 łyżki cynamonu

Mleko, oliwę i cynamon wymieszać, wlać szklankę wody, delikatnie podgrzać. Przelać do miski, dodać sok cytrynowy. Moczyć stopy przez 20 minut.

. . .

Odprężająca kąpiel orientalna

- 2 łyżki mąki kukurydzianej lub ziemniaczanej
- 2 łyżki soli morskiej lub soli Epsom
- 4 krople olejku z drzewa herbacianego
- 1 kropla olejku ylang-ylang
- 2 łyżki oliwy

Składniki włożyć do miski, wlać ciepłą wodę, dobrze wymieszać. Moczyć stopy 20 minut.

. . .

Wygładzająca kąpiel owsiana

- 2 łyżki mleka w proszku
- 2 łyżki zmielonych płatków owsianych
- 1 łyżeczka sody oczyszczonej

Składniki wsypać do miski, zalać ciepłą wodą. Moczyć stopy 20 minut.

. . .

Kojąca kąpiel lawendowa

- 2 łyżki mleka w proszki
- 1 łyżka mąki kukurydzianej lub ziemniaczanej
- 1 łyżka suszonej lawendy

Lawendę zalać ½ szklanki wrzątku, odstawić do ostygnięcia. Dodać resztę składników, wymieszać, wlać do miski, dopełnić ciepłą wodą. Moczyć stopy 20 minut.

. . .

Regenerująca kąpiel mleczno-miodowa

- 3 szklanki tłustego mleka
- 3 łyżki miodu
- 2 łyżki soli morskiej
- 1 łyżeczka sody oczyszczonej

Mleko podgrzać, dodać miód, dokładnie rozprowadzić. Wlać do miski, dodać sól i sodę, dokładnie wymieszać. Moczyć stopy 20 minut.

. . .

Kojąca maseczka owsiana

- 1 szklanka mleka
- ¾ szklanki płatków owsianych
- 1 łyżka miodu

Mleko podgrzać do wrzenia, wsypać płatki, odstawić do ostygnięcia. Dodać miód, dokładnie wymieszać. Nałożyć na stopy, po 20 minutach spłukać ciepłą wodą.

. . .

Orzeźwiająca kąpiel miętowa

- 2 łyżki mleka w proszku
- 1 łyżka mąki kukurydzianej
  lub ziemniaczanej
- 5 kropli olejku miętowego

Składniki wsypać do miski, zalać ciepłą wodą.
Moczyć stopy 20 minut.

. . .

Odświeżająca maseczka miętowa

- 1 szklanka zimnego zsiadłego mleka
- 5 liści mięty

Liście mięty posiekać, wymieszać z mlekiem.
Nałożyć na stopy, po 20 minutach spłukać ciepłą wodą.

. . .

Odżywcza maseczka ziemniaczana

- 2 ugotowane ziemniaki
- 2 łyżki płynnego miodu
- 2 żółtka

Ziemniaki rozgnieść widelcem, wymieszać
z resztą składników. Nałożyć na stopy, po
20 minutach spłukać ciepłą wodą.

. . .

Odżywcza kąpiel miodowo-migdałowa

- ⅓ szklanki mleka w proszku
- 1 łyżeczka olejku migdałowego
- 2–3 łyżki miodu

Miód rozprowadzić w szklance gorącej wody,
dodać mleko i olejek, dokładnie wymieszać.
Wlać do miski, dopełnić gorącą wodą. Moczyć
stopy 20 minut.

. . .

Pielęgnacja włosów

Najskuteczniejszym sposobem zapewnienia sobie pięknych włosów jest zdrowa dieta. Lśniąca, zdrowa czupryna to efekt dobrostanu całego organizmu i dostarczania mu wszystkich niezbędnych składników odżywczych. Warto przeanalizować swoją dietę pod kątem elementów budulcowych włosów – po uwzględnieniu poniższych wskazówek prawdopodobnie już po kilku tygodniach zauważymy różnicę.

Na pierwszym miejscu należy wymienić wodę, stanowiącą jedną czwartą włosa. To właśnie jej włosy zawdzięczają jedwabistą miękkość, siłę i połysk. W codziennym jadłospisie nie może zabraknąć białka, ponieważ włosy składają się głównie z białek. Uwzględnienie w diecie produktów proteinowych, takich jak ryby, mięso, mleko i nabiał, zapobiega łamaniu i rozdwajaniu się włosów. Ich urodzie sprzyjają także niektóre minerały, takie jak żelazo zapewniające odpowiedni transport tlenu do włosów, a występujące w czerwonym mięsie i ciemnozielonych warzywach.

Wypadaniu włosów zapobiega cynk zawarty w dużych ilościach w mięsie i owocach morza. Naturalny kolor podkreśli miedź, obecna w świeżych warzywach, orzechach, nasionach i mięsie (zwłaszcza wątrobie). Ostatnim elementem są witaminy, przede wszystkim witamina A zapewniająca zdrową skórę głowy, a występująca w warzywach, głównie marchwi. Witamina B i witamina C sprzyjają wzrostowi włosów i zapobiegają rozdwajaniu się końcówek. W dużych ilościach zawierają je owoce, warzywa, orzechy, nabiał i pełnoziarniste pieczywo.

DOMOWE MASKI
I PŁUKANKI NA WŁOSY

Wzmacniający koktajl bananowy do włosów osłabionych

- 1 banan
- 2 łyżki jogurtu
- 2 łyżeczki oliwy
- ½ łyżeczki miodu

Banana rozgnieść widelcem, dodać pozostałe składniki, wymieszać na jednolitą papkę. Aby nadać włosom piękny zapach, dodać 5 kropli ulubionego olejku eterycznego, np. ylang-ylang. Gotową mieszankę nałożyć na włosy.

. . .

OGÓLNE ZASADY STOSOWANIA MASEK NA WŁOSY

Zabieg zaczynamy od umycia włosów łagodnym szamponem (np. dla niemowląt). Po dokładnym spłukaniu nakładamy maskę, delikatnie wcieramy w skórę, po czym przykrywamy głowę folią (przyda się specjalny foliowy czepek) i okręcamy ręcznikiem, aby utrzymać ciepło. Po 15 minutach spłukujemy ciepłą wodą z dodatkiem łagodnego szamponu.

Płukanka pomarańczowa do włosów zniszczonych

- ½ l ciepłej wody
- sok z 1 pomarańczy
- 1 łyżka miodu
- 5–7 kropli olejku z drzewa sandałowego

Wszystkie składniki dodać do wody, dokładnie wymieszać. Spłukać włosy po umyciu, następnie ponownie spłukać ciepłą wodą.

. . .

Migdałowa maska zapobiegająca puszeniu się włosów

- ¼ filiżanki miodu
- ½ filiżanki jogurtu naturalnego
- 1 łyżka olejku migdałowego

Wszystkie składniki zmiksować w blenderze, nałożyć na włosy.

. . .

Wzmacniająca maska migdałowo-bananowa do włosów suchych i zniszczonych

- 1 dojrzały banan
- 5 kropli olejku migdałowego

Składniki zmiksować w blenderze na gładką papkę, nałożyć na włosy.

. . .

Rozgrzewająca maska mleczno-miodowa do włosów normalnych

- 1 łyżka miodu
- ½ filiżanki pełnotłustego mleka

Miód rozprowadzić w ciepłym mleku, nałożyć na włosy.

. . .

Regenerująca maska oliwkowa do włosów suchych, cienkich i zniszczonych

- 5 łyżek oliwy
- 2 jajka

Składniki dokładnie wymieszać mikserem, nałożyć na włosy.

. . .

Rewitalizująca maska jogurtowa do włosów osłabionych

- 1 białko
- 5 łyżek jogurtu naturalnego

Białko ubić na pianę, delikatnie wymieszać z jogurtem, nałożyć na włosy.

. . .

Letnia maska truskawkowa do włosów suchych

- 1 filiżanka truskawek
- 1 żółtko
- 2 łyżki oliwy

Wszystkie składniki zmiksować w blenderze, nałożyć na włosy.

. . .

Odżywcza maska miodowo-oliwkowa do włosów pozbawionych witalności

- 2 łyżki stołowe miodu
- 3 łyżki stołowe oliwy
- 1 żółtko

Składniki dokładnie wymieszać mikserem, nałożyć na włosy.

. . .

Tajemnice gęstej czupryny

Wygląd włosów decyduje o ogólnym wrażeniu, a fryzura może efektownie ukoronować kreację albo wręcz przeciwnie – przekreślić nasze wysiłki. Dlatego warto poznać kilka sekretów, dzięki którym Twoje włosy będą zawsze wyglądać oszałamiająco.

- Jeśli nie ma takiej konieczności, nie myj włosów codziennie, ponieważ będą trudniejsze do ułożenia. Nie obawiaj się, bo w rzeczywistości właśnie dzięki myciu co drugi lub trzeci dzień Twoje włosy będą wyglądać zdrowo. Szampony pozbawiają skórę głowy naturalnego płaszcza ochronnego i powodują jej wysuszanie.
- Aby nadać puszystość tłustym włosom, możesz wetrzeć w nasadę włosów odrobinę zasypki dla niemowląt. Dzięki temu uniosą się do góry i nie będą tworzyć nieestetycznego „kasku".
- Jeśli masz suche i szorstkie włosy, pamiętaj o nałożeniu maski lub odżywki na końcówki podczas każdego mycia.
- Przed umyciem zawsze dokładnie rozczesz włosy. Pomoże to dokładnie usunąć wszystkie zanieczyszczenia.
- Podczas suszenia suszarką początkowo przeczesuj włosy palcami, a dopiero gdy prawie zupełnie wyschną, użyj szczotki.
- Co najmniej raz w tygodniu wieczorem natrzyj skórę głowy specjalnym olejkiem do włosów lub oliwą. Na noc osłoń głowę czepkiem, rano umyj włosy.
- Myj i płucz włosy w letniej wodzie – nigdy nie stosuj gorącej!
- Oszczędnie stosuj produkty do stylizacji.
- Unikaj wystawiania włosów na skrajne warunki atmosferyczne – mróz lub upał.
- Co sześć–osiem tygodni podcinaj końcówki, co zapobiegnie im rozdwajaniu.

Kręcone, falujące, proste...
Wszystkie piękne!

Nie wszyscy ludzie są obdarzeni takim samym rodzajem włosów. Niektórzy z nas mają włosy kręcone, inni proste, a jeszcze inni z dumą obnoszą pofalowane czupryny. Poszczególne rodzaje włosów – podobnie jak odmienne rodzaje skóry – wymagają różnych sposobów pielęgnacji.

WŁOSY KRĘCONE

Szczęśliwi posiadacze burzy loków powinni przede wszystkim unikać suszarek, ponieważ włosy kręcone często są bardzo delikatne. Najlepiej po myciu pozwolić fryzurze wyschnąć naturalnie na powietrzu. Aby uniknąć puszenia się, nie należy rozczesywać loków szczotką – wystarczy rozplątać je palcami. Włosów kręconych najlepiej nie myć codziennie, ponieważ szampony pozbawiają skórę głowy naturalnej warstwy tłuszczowej i powodują puszenie. Warto także oszczędnie stosować produkty do stylizacji, takie jak żele, lakiery i pasty. Urodę lokom zapewni masaż skóry głowy olejkiem kokosowym, olejkiem z jojoby lub żelem aloesowym, wykonywany raz lub dwa razy w tygodniu. Ponieważ włosy kręcone mają tendencję do wysuszania, należy pamiętać o ich odpowiednim nawilżaniu i odżywianiu maskami.

WŁOSY FALUJĄCE

Aby zapobiec rozdwajaniu się końcówek, warto co sześć–osiem tygodni lekko skrócić fryzurę. W przypadku włosów falujących po umyciu należy dokładnie wysuszyć je ręcznikiem. Lepiej nie upinać ich mokrych do góry, ponieważ sprzyja to plątaniu i puszeniu. Do rozczesywania najlepiej używać rzadkiego grzebienia. Jeśli chodzi o szampony i odżywki, sprawdzą się produkty nadające blask.

WŁOSY PROSTE

Włosy proste najlepiej myć codziennie, ostatecznie raz na dwa dni. Stosowanie lokówki bardzo niszczy włosy, dlatego najlepiej nie używać jej w ogóle, a przynajmniej ustawić temperaturę na minimum. Po umyciu nie należy mocno wycierać włosów ręcznikiem, a po prostu delikatnie odcisnąć je z nadmiaru wody. Z rozczesywaniem (koniecznie rzadkim grzebieniem, nie szczotką) warto poczekać, aż lekko przeschną. Warto walczyć z nawykiem bawienia się włosami – najlepiej dotykać ich jak najrzadziej!

ZIOŁA DZIAŁAJĄ CUDA!

Dzięki samodzielnemu sporządzaniu mieszanek ziołowych można dostosować płukanki do konkretnych potrzeb włosów. Ale najpierw trzeba poznać sposoby działania poszczególnych ziół.

Zioła nadające blask: pietruszka, pokrzywa, rozmaryn, rumianek, skrzyp, szałwia

Zioła pogłębiające kolor włosów blond: dziewanna, krwawnik, nagietek, rumianek

Zioła pogłębiające kolor włosów ciemnych: czarny bez, malina (liście), orzech włoski (zmiażdżone łupiny), pokrzywa, rozmaryn, szałwia

Zioła pogłębiające kolor włosów rudych: czerwona koniczyna (kwiat), henna, hibiskus (kwiat), nagietek, czerwona róża (płatki)

Zioła zapobiegające przetłuszczaniu się włosów: krwawnik (liść i kwiat), laur (liść), lawenda, łopian (korzeń), mięta, nagietek, oczar wirginijski (kora), pokrzywa, rozmaryn, rumianek, skórka cytrynowa, skrzyp, trawa cytrynowa, tymianek

Zioła do włosów suchych: czarny bez (kwiat), nagietek, pietruszka (liść), pokrzywa, prawoślaz (korzeń), rumianek, skrzyp, szałwia, żywokost (liść)

Zioła łagodzące dolegliwości skóry głowy (łupież, skóra wrażliwa, stany zapalne, świąd): eukaliptus, lawenda, łopian (korzeń), mięta, nagietek, oregano, pokrzywa, prawoślaz (korzeń), rozmaryn, rumianek, skrzyp, szałwia, tymianek, żywokost (liść)

Zioła zapobiegające wypadaniu włosów: bazylia, pokrzywa, rozmaryn, szałwia

Farbowanie włosów? Naturalnie!

Warto dać włosom odpocząć od silnie działających chemicznych farb do włosów i zwrócić się ku produktom naturalnym, takim jak henna, od tysięcy lat stosowana do koloryzacji w krajach Afryki i Dalekiego Wschodu, a także Indiach, Pakistanie i Iranie.

Jest ona wytwarzana ze sproszkowanych liści rośliny zwanej lawsonią bezbronną, które miesza się z sokiem z cytryny, czasami z dodatkiem goździków i kawy. Następnie mikstę pozostawia się bez dostępu powietrza na kilka godzin, aby wydzieliła się główna substancja barwiąca – lawson. Tyle tradycyjna metoda. Na rynku znajduje się wiele gotowych do użycia odmian henny w różnych kolorach, od czerni przez mahoń, różne odcienie brązu, burgund po złocisty blond. Można jej użyć także do podkreślenia naturalnego koloru włosów. Efekt utrzymuje się do trzech miesięcy.

Koniec z rozdwojonymi końcówkami

Często się zdarza, że najprostsze sposoby są najskuteczniejsze. Dotyczy to także rozdwajających się końcówek, którym najlepiej przeciwdziałać poprzez skracanie włosów o około 2 cm co sześć–osiem tygodni.

Nie trzeba w tym celu udawać się do fryzjera – możemy z powodzeniem zrobić to samodzielnie w domu. Wystarczy oddzielić małe pasmo włosów i delikatnie skręcić, lekko pociągając w dół. Rozdwojone końcówki będą wystawać, pozostaje tylko obciąć je ostrymi nożyczkami. Podczas mycia włosów należy przesuwać palcami od nasady po końce, zwłaszcza w przypadku suchych i szorstkich włosów. Raz w tygodniu warto w taki sam sposób nałożyć maskę wzmacniającą, a po zakończeniu zabiegu spłukać głowę zimną wodą. Stosowane masek ma szczególne znaczenie w przypadku bardzo suchych włosów, wyjątkowo podatnych na rozdwajanie. Trzeba też unikać energicznego wycierania i rozczesywania włosów. Zamiast szczotek warto sięgać po rzadkie grzebienie, pamiętając, by nigdy nie rozczesywać włosów bezpośrednio po myciu, a dopiero wtedy, gdy lekko przeschną.

Ratunku, tracę włosy!

Gdy po myciu głowy zauważasz pływające pasma lub kiedy masz wrażenie, że większość Twoich włosów znajduje się na szczotce, a nie na głowie, pora zająć się problemem wypadania włosów. Może to wynikać z wielu przyczyn – najczęściej chodzi o stres, niezrównoważoną dietę, nieregularny sen lub niewłaściwe produkty do pielęgnacji włosów.

Niektórzy ludzie mają genetyczną skłonność do utraty włosów – w takim wypadku pozostaje trzymać kciuki za swoją czuprynę, aby towarzyszyła nam jak najdłużej lub... polubić swój nowy, bezwłosy look, bo przecież łysina też jest sexy!

Niezależnie od tego, czy problem wypadania włosów spędza nam sen z powiek, czy też nie, warto poznać kilka sposobów na zapobieganie rzednięciu fryzury.

- Nadmierne używanie suszarek, prostownic i lokówek przyspiesza wypadanie włosów i może prowadzić do łysienia. Dlatego jeśli zmagasz się z tym problemem, staraj się korzystać z tych urządzeń jak najrzadziej.
- Nie farbuj włosów częściej niż raz na sześć–osiem tygodni. Zastanów się, czy wolisz siwe pasma, czy łysinę.
- Wypadaniu włosów sprzyja ciasne plecenie i wiązanie włosów w warkocze i kucyki. Najlepiej zdecydować się na luźną fryzurę.
- Dieta powinna zawierać dużo białka, który stanowi budulec włosów, oraz wapnia wzmacniającego cebulki włosowe.
- Poza zbilansowaną dietą duże znaczenie ma odpowiednia ilość snu. Staraj się bezwzględnie wygospodarować co najmniej siedem godzin na sen, ponieważ nieregularny tryb życia stanowi udowodnioną przyczynę utraty włosów.
- Starannie wybieraj produkty do pielęgnacji, ponieważ bezpośrednio wpływają one na wzrost włosów. Unikaj silnie działających szamponów, odżywek i kosmetyków do stylizacji, zwłaszcza tych o przedłużonym działaniu, ponieważ z reguły niekorzystnie działają one na włosy. Jeśli zauważysz, że dany produkt nasila wypadanie włosów, odwiedź dermatologa.
- W wielu przypadkach podstawową przyczyną nadmiernej utraty włosów jest palenie papierosów i nadużywanie alkoholu.
- Zdarza się, że problem ten nasilają niektóre leki – jeśli po zażyciu jakiegoś preparatu zauważysz utratę włosów, skonsultuj się z lekarzem, który go zalecił.

Marzenie o lśniącej czuprynie

Zdrowe i lśniące pasma włosów to pożądany atrybut urody. Aby uzyskać wymarzony efekt, trzeba najpierw poznać swój rodzaj włosów, ponieważ od tego zależy sposób ich pielęgnacji:

- Włosy cienkie i delikatne – w tym przypadku warto sięgnąć po szampony zawierające proteiny i polimery, które pokrywają włosy cieniutką warstewką, dzięki czemu wydają się grubsze i pięknie lśnią. Sprawdzą się także odżywki bez spłukiwania nadające włosom blask.
- Włosy normalne – piękny połysk włosom normalnym zapewnią produkty z zawartością jedwabiu, można także zastosować żel lub krem nabłyszczający (nakładając najpierw na dłoń, a następnie rozprowadzając na włosach).
- Włosy grube i szorstkie – ten rodzaj włosów najlepiej ujarzmić kremem lub pomadą wygładzającą, które nie tylko nadadzą im blask, ale także nawilżą.

Truskawkowa maska do włosów pozbawionych blasku

- 8 truskawek
- 1 łyżka oliwy
- 1 żółtko

Truskawki rozdrobnić w blenderze. Oliwę utrzeć z żółtkiem na gładką emulsję, połączyć z truskawkami.

. . .

Płukanka do włosów blond pozbawionych blasku

- ½ l ciepłej wody
- 3 łyżki soku z cytryny

Sok wlać do wody, wymieszać, spłukać włosy po umyciu.

. . .

Płukanka miodowa do włosów pozbawionych blasku

- ½ l ciepłej wody
- 1 łyżeczka miodu

Miód dokładnie rozprowadzić w wodzie, spłukać włosy po umyciu. Nie spłukiwać!

. . .

Płukanka do włosów rudych i ciemnych pozbawionych blasku

- ½ l ciepłej wody
- 3 łyżki octu jabłkowego

Ocet wlać do wody, wymieszać, spłukać włosy po umyciu.

. . .

Skuteczna walka z łupieżem

W obecnych czasach łupież jest częstym problemem, który niepokoi wiele osób. Dolegliwość ta charakteryzuje się nadmiernym złuszczaniem martwych komórek skóry głowy. Niekiedy ma charakter przewlekły, bywa też wyzwalana przez określone czynniki, przede wszystkim skrajne temperatury, stres, zmęczenie, zanieczyszczenie powietrza i nadmierne używanie produktów pielęgnacyjnych.

Głównemu objawowi łupieżu, czyli intensywnemu łuszczeniu się skóry, towarzyszy często zaczerwienienie, świąd i podrażnienie. Warto w pierwszej kolejności wypróbować opisane niżej domowe sposoby, ponieważ wiele kosmetyków przeciwłupieżowych ma silne działanie i może potęgować dolegliwości.

- Doskonałym środkiem przeciwłupieżowym ze względu na właściwości antybakteryjne jest olejek z drzewa herbacianego. Wymieszaj kilka kropli z łyżką oliwy i raz w tygodniu wetrzyj we włosy.
- Wypróbuj płukankę z octu jabłkowego (jedna część octu na trzy części wody).
- Raz w tygodniu wykonaj masaż skóry głowy olejkiem z zarodków pszennych, następnie owiń głowę ręcznikiem, spłucz po 30 minutach.
- Posmaruj skórę głowy żelem aloesowym, spłucz po 30 minutach.
Natrzyj głowę mieszaniną 10 g utłuczonego czarnego pieprzu, sokiem z ½ cytryny i ¼ mleka, spłucz po godzinie.
Natrzyj skórę głowy mieszanką oleju kokosowego z kilkoma kroplami olejku rozmarynowego. Załóż foliowy czepek, pozostaw na noc, rano spłucz wodą z dodatkiem soku z ½ cytryny.
Wsyp 5 czubatych łyżek tymianku do ½ litra wrzącej wody, gotuj 10 minut. Przecedź, odstaw do ostygnięcia, dokładnie spłucz włosy letnim naparem.

TEKST: Ewa Ressel
PROJEKT MAKIETY, OKŁADKI I FOTOEDYCJA: Paweł Panczakiewicz/PANCZAKIEWICZ ART.DESIGN
SKŁAD I OPRACOWANIE GRAFICZNE: PANCZAKIEWICZ ART.DESIGN/www.panczakiewicz.pl
PROJEKT OKŁADKI WERSJI LIMITOWANEJ: Michał Duława
ZDJĘCIA: SHUTTERSTOCK.COM: © Subbotina Anna (1 g.), © Elena Itsenko (1 g.), © Africa Studio (1 g.), © Poznyakov (1 g.), Poznyakov (1 g.), © Yuri Arcurs (1 g.), © Subbotina Anna (1 d.), © Subbotina Anna (2), © Apollofoto (4-5), © Yuri Arcurs (6 p.g.), © Poznyakov (6 p.d.), © Valua Vitaly (6 ś), © Yuri Arcurs (6 l.d.), © N/A (6 l.g.), © Elena Itsenko (7), © Artem Furman (8), © Ingrid Balabanova (9 l.d.), © Diego Cervo (9 l.g.), © barbaradudzinska (9 p.g.), © Mircea Bezergheanu (9 p.d.), © Olga Miltsova (9 ś.), © Poznyakov (10), © N/A (12), © VitCOM Photo (13), © Fedulova Olga (14), © haru (15), © Nejron Photo (16), © Volosina (17 g.), © Poznyakov (17 d.), © Poznyakov (18), © rebvt (19),© Valua Vitaly (20), © Dionisvera (21), © Nataliia Melnychuk (22 g.), © Poznyakov (22 d.), © Kurhan (23), © N/A (24 g.), © Kalim (24 d.), © artjazz (25), © Kirill Smirnov (26), © Lana K (27), © Goncharuk (28 p.d.), © Valua Vitaly (28 l.d.), © AGorohov (28 g.), © Seregam (29), © Lisa A (30-31), © N/A (32), © lev dolgachov (33), © Goodluz (34-35), © .shock (36-37), © konstantynov (38-39), © matka_Wariatka (40), © Anna Omelchenko (41), © Subbotina Anna (42-43), © artjazz (45 g.), © Africa Studio (45 d.), © Juriah Mosin (46-47), © lenetstan (48), © Andreka (49), © Apollofoto (50),© Zhukov Oleg (51), © Christo (52-53), © Jochen Schoenfeld (54),© Danijel Micka (55), © Goodluz (56), © S.P. (57), © Alena Ozerova (58), © Rob Bouwman (59 g.), © Subbotina Anna (59 d.), © YuriyZhuravov (60), © Dmitry Suzdalev (61), © Christo (63)

ZDJĘCIA NA OKŁADCE: SHUTTERSTOCK.COM: PRZÓD: © Africa Studio, © Elena Itsenko, © Subbotina Anna, © Lana K, © Poznyakov; GRZBIET: © Africa Studio, © Elena Itsenko, © Subbotina Anna, © Poznyakov; TYŁ: © Artem Furman, © Subbotina Anna, © Valua Vitaly, © Poznyakov

Wydawnictwo SBM Sp. z o.o.
ul. Sułkowskiego 2/2
01-602 Warszawa

www.WYDAWNICTWO-SBM.pl

ISBN 978-83-7845-209-6 – WERSJA LIMITOWANA
    978-83-7845-184-6